"亮丽内蒙古"文化普及口袋书

雄浑大漠

田宏利 ◎ 编著

内蒙古人民出版社

图书在版编目（CIP）数据

爱上内蒙古．雄浑大漠 / 田宏利编著．— 呼和浩特：内蒙古人民出版社，2021.10

（"亮丽内蒙古"文化普及口袋书）

ISBN 978-7-204-16900-9

Ⅰ．①爱… Ⅱ．①田… Ⅲ．①内蒙古－概况②沙漠－介绍－内蒙古 Ⅳ．① K922.6 ② P941.73

中国版本图书馆 CIP 数据核字（2021）第 219848 号

爱上内蒙古·雄浑大漠

作　　者	田宏利	
策划编辑	王　静	
责任编辑	王　曼	
封面设计	吉　雅	
出版发行	内蒙古人民出版社	
地　　址	呼和浩特市新城区中山东路 8 号波士名人国际 B 座 5 楼	
网　　址	http：//www.impph.cn	
印　　刷	内蒙古恩科赛美好印刷有限公司	
开　　本	889mm×1194mm　1/48	
印　　张	2.1	
字　　数	41 千	
版　　次	2021 年 10 月第 1 版	
印　　次	2023 年 2 月第 1 次印刷	
书　　号	ISBN 978-7-204-16900-9	
定　　价	10.00 元	

如发现印装质量问题，请与我社联系。

联系电话：（0471）3946120

编 委 会

开 电子书库

阅读本丛书全部电子书，全方位了解内蒙古。

看 纪录片 ▶

从影视作品中了解内蒙古的历史文化。

赏析 蒙古族长调艺术 ♪

聆听蒙古族长调民歌，带你领略蒙古族音乐的独特魅力。

📷 旅行交流圈

聊聊你眼中的内蒙古。

微信扫码

扫码查看
★ 同系列电子书
★ 内蒙古纪录片

序

内蒙古是一个走进去就会爱上她的地方。

这里有辽阔壮美的天然草原——呼伦贝尔草原无边无际，科尔沁草原绿草如茵，鄂尔多斯草原草长莺飞，阿拉善荒漠草原苍茫神秘；有我国面积最大的原始林区——大兴安岭林海莽莽苍苍，美景如画；有生态类型多样的世界地质公园——阿尔山世界地质公园里有亚洲面积最大的火山地貌景观，克什克腾世界地质公园是我国北部环境演化的自然博物馆，阿拉善沙漠世界地质公园中的沙漠景观、戈壁景观、峡谷景观和风蚀地貌景观交相辉映。

这里也是"歌的海洋""酒的故乡""舞蹈的天堂"——一首首歌曲犹

如一泓清澈的甘泉，从苍茫遥远的天边流泻而来；一杯杯美酒醇香甘甜，醉人心田；一支支舞蹈激情澎湃地舞动着青春的活力，舞动着生命的力量。这里还有丰富多样、风味独特的美食佳肴，有悠久灿烂的地域文化及独具魅力的民俗风情，有蒙汉合璧、别具匠心的宏伟建筑，有革命历史文化底蕴深厚的庄严肃穆的红色旅游胜地……

这些都是内蒙古以昂然之姿向世人展示自己的美丽的底气。这套《"亮丽内蒙古"文化普及口袋书》策划的初心和使命，就是从自然景观、人文景观、民俗文化、地域文化、饮食文化及红色旅游、城区建设等多个方面展现内蒙古自治区的亮丽风采以及各族人民在中国共产党的正确领导下，始终坚定地沿着中国特色社会主义道路奋勇前进，共同团结奋斗、共同繁荣发展的崭新时代风貌。

假如这般如诗如画的美景和悠久璀璨的历史文化还不足以打动你，那么，请到内蒙古来吧，生活在这片土地上的勇敢、诚信、友善的各族人民将带你深入领略内蒙古经济发展、社会进步、文化繁荣、民族团结、边疆安宁、生态文明、人民幸福的亮丽风景线，为你提供 N 个爱上内蒙古的理由。

目 录

平安、吉祥恩格贝

"恩格贝"位于库布齐沙漠腹地，蒙古语意为平安、吉祥。历史上曾绿草如茵，牛羊成群，是一块"风吹草低见牛羊"的风水宝地。只是在近代，由于人为的掠夺性垦荒和过度放牧等原因，库布齐沙漠犹如猛兽初醒，风卷残云般地扑向恩格贝，到20世纪80年代，恩格贝被人类遗弃，弥天狂沙日夜不停地

以每年一万亩的速度，越过恩格贝向黄河岸边，甚至向人类的生存空间逼近。

20世纪80年代末90年代初，一批批治理沙漠的志愿者和建设者们进入恩格贝，经过他们多年的不懈奋斗，终于让昔日黄沙漫漫的恩格贝披上了绿装，如今的恩格贝绿地面积达70%以上，有各种树木100多万株，水库、水塘面积1万余亩，已经建起了鸵鸟园、葡萄园、瓜果园、蔬菜园、花卉园等，俨然一个

库布齐沙漠

平安、吉祥恩格贝

绿意葱葱、生机盎然的沙漠生态示范园，越来越多的人走进恩格贝进行沙漠生态观光旅游。

当人们乘着示范园内提供的环保旅游车缓缓而行时，首先经过的是志愿者林带区。林带的尽头是一片偌大的湿地，茂盛的芦苇长得有一人多高，芦苇边缘的草地上是鸵鸟园。一群半人多高的鸵鸟见到有人来，便会主动前来索食，有的还伸着长长的脖子去啄游人中女性的长发，所以时不时地会听到女性们被鸵鸟这种"突然袭击"惊吓而发出的尖叫声。

鸵鸟园的前面就是景区著名的"漠中河"，它蜿蜒曲折地直入峡谷深处，再从峡谷中出来进入沙漠腹地，一路上河水两岸青草绿树成片。走出这片绿洲，便是一望无际的沙漠了。这里的沙子与响沙湾的一样，颜色金黄，颗粒细腻，由这种金黄细腻的沙子组成的沙丘，在这里铺展得漫无边际。在斜阳映照下，一个个的沙丘以弧形的沙脊为界，明暗相间，在蓝天白云之下，横空勾勒出一道道优美的弧线。沙丘迎风的一面布满了鱼鳞状的图案，仔细观察，还能看到昆虫爬过的痕迹，这些痕迹最终消失在远处一簇簇的沙漠植物丛中。

站在最高处的沙丘上瞭望，远方的那一片绿洲是那么引人注目。真的令人难以想象，在这么苍凉荒芜的茫茫大漠之中，当年恩格贝的那些建设者们，是怎样用自己的双手开拓出这片郁郁葱葱的绿洲的？再把目光掠过绿洲望向远方，就在远处天际处，隐隐约约闪现着城市的影子。

大漠、绿树、青草、碧水、蓝天、白云、斜阳、轻风，还有远方的城市，这就是恩格贝给人留下的最深刻印象。

今天的恩格贝重新又成为生命的摇篮，无数的新生命在这里孕育。岁岁枯荣的青草、树木，南方的孔雀，非洲的鸵鸟，都幸福地生活在它的怀抱中。今天的恩格贝也不再是浑黄一片，春天青草的新绿，夏天树木的浓荫，秋天鲜花的姹紫嫣红，相继光顾这里。

沙子会唱歌的响沙湾

响沙湾位于库布齐沙漠最东端，在鄂尔多斯市达拉特旗境内。

响沙湾的出名，是因为这里的沙子会发出声音。为什么沙子会发出声音？地理学家说，这是由于其独特的地质地貌形成了一个"共鸣箱"；物理学家说，这是由于沙子摩擦后产生了一种物理传导音。不管是何种原因，来响沙湾游玩，总能让你在欣喜之余，感叹大自然奇妙之余，放松身心，净化心灵。

响沙湾地标

在响沙湾，当游人静卧在沙子上时，风动沙移，沙鸣声如泣如诉，如箫如笛；当游人做滑沙运动时，沙粒随之相互摩擦，沙鸣声如同飞机从头顶掠过，隆隆作响。

隔着河床宽阔的罕台川远眺，响沙湾显得那样壮阔苍茫，在阳光下，眼前的沙漠是那样的空旷、幽深。

游人们滑沙的点点身影、如甲壳虫般游动的沙地车、蠕动在大漠深处的驼影，是这里旅游旺季时最为常见的景象。

当人们骑着骆驼向沙漠深处漫无目的地游走时，会发现虽然翻过了一道又一道的沙丘，但这大漠依然广阔得没有尽头。前望沙海茫茫，回首不见来时路。无边的苍穹上看不到一只飞鸟，连片的沙丘上，也寻不着一株绿色的小草。但是在不断地行进间，人们会蓦然发现在前方不远处的沙丘间，竟神奇地出现一块绿洲、一泓清泉，让人心中陡然生出一份惊喜，这种惊喜让人感到恍惚、不真实，甚至有了不敢走近的怯情。

　　风从远处的沙丘上吹下，吹动这一泓清泉，岸边的景物倒映在这清泉里，朦胧如幻景。看到此景，人们不由得停住脚步，不敢再走，担心再走近一步，这幻景就会如海市蜃楼般倏忽不见。这时人们索性停下骆驼，翻身下来，没承想刚一落地，注意力便被这脚下的沙子

吸引去了，它们是那么细软，无一丝杂尘，让人觉得，在这可以吞噬一切的茫茫沙海里，在那冥冥之中，一定充满着难以参透的深奥。

当夕阳西下时，一层火红的晚霞光晕映照着响沙湾，那景是那样的美，美得让人沉醉。

响沙湾

「红色公牛」乌兰布和

扫码查看
★ 同系列电子书
★ 内蒙古纪录片

在蒙古语中，"乌兰布和"是红色公牛的意思。由于乌兰布和沙漠和巴丹吉林沙漠毗邻，所以在过去有人认为巴丹吉林沙漠是乌兰布和沙漠的"母亲"，言外之意，就是说乌兰布和沙漠里的沙子是从巴丹吉林沙漠那里刮来的，或许，这也算是乌兰布和沙漠形成的一种观点吧。

据专家考证，乌兰布和沙漠是一个年轻的沙漠，它不像其他沙漠那样，在人类出现之前就已经是沙海茫茫了。

据史书记载，2000年前的乌兰布和地区，曾是汉代朔方郡的辖地，境内非但没有沙漠，而且还是一片沃野，有田园，有渠道，有河流，有湖泊，还有城池。

后来，匈奴南侵，占据了这块沃土，并以此为基地不断袭扰中原。到汉武帝时，西汉国力强大起来，开始对匈奴进行军事行动。

当时的乌兰布和一带是重要战区，一是因为这里水草丰美，二是因为这一带地势险要。北部连绵的阴山自古以来就是南北之间的巨大屏障，阴山一旦失守，胜者必将势如破竹地直取中原。公

沙漠景色

大漠沙雕

元前 127 年，汉武帝派大将卫青等人夺回河套，而后又攻下乌兰布和地区，据守阴山，恢复了早先赵武灵王与秦始皇所统辖的地方。

战胜匈奴后，卫青立即在阴山以南，包括黄河南北两岸地区设置五原郡，并"兴十万人筑朔方郡"。朔方郡下又设置县，如今在乌兰布和沙漠里考古发现有窳浑、三封、临戎 3 座古城，它们是这些县城中最靠西边的三座。设置郡县后，西汉政府派兵驻守，而且开始从中原地区的郡县大规模"移民实边"，开垦荒地，于是这一带成为汉代移民屯垦的重要地区。

汉宣帝时，南匈奴呼韩邪单于臣服于汉，汉朝对匈奴采取怀柔政策，使汉匈双方紧张的形势大为缓和。公元前33年，呼韩邪单于向汉朝求亲，汉元帝应允，将宫女王嫱（王昭君）封为公主，嫁给呼韩邪单于，从此边塞地区较为安定。到王莽新朝时，"朔方无复兵马之踪六十余年"。这60多年来，乌兰布和地区的人口稳定增长，农业、牧业得到很大发展。汉代史学家班固曾描写这一地区："数世不见烟火之警，人民炽盛，牛马布野。"

在之后的历朝历代中，这些植被被逐渐破坏，大约距汉代垦地开荒1000年，这里开始黄沙蔓延。可以说，从汉代至宋代的这1000多年，乌兰布和从麦浪滚滚的田野变成了戈壁荒漠；从宋代到今天，又隔了1000多年，乌兰布和成了我们今天看到的模样。

进入乌兰布和沙漠，浩瀚的沙海，起伏的沙丘，稀疏的林木，斑驳的草地，浅浅的湖泊，开满鲜花的草场，起伏着蔓延到远方。这里有世界上最大的梭梭林。由梭梭木堆积而成的敖包，位于乌兰布和沙漠的最高处，从这里俯瞰一望无际的梭梭林，以及点缀在林子里的人家和游荡的牛羊，实在是一种精神享受。但是进入沙漠深处，是需要勇气的，也必须有当地人的引导，否则可能会迷路。

最让人惊讶的是，在这样偏僻干旱的沙漠深处，居然有神奇的泉水，有几个人都搂抱不过来的大柳树，大柳树独木成林，远远看去，就是一道美丽的风

沙漠中的湖

景线，泉水从这里静静地流向远处，蜿蜒着淌进不远处的湖泊之中。

这里没有茂盛的植物，只有一种叫不上名字的植物与泉水相伴。越过沙岗，一弯镜湖镶嵌在这里，鸟盘旋在蓝色的天空中，那种野性之美，深深地吸引着人，让人久久不愿离去。湖水清澈得能够看到水中鲜嫩的草芽，或许，不久以后，这里会铺开一片茂密的芦苇。

「苍天般的」阿拉善

阿拉善地处内蒙古最西端，北与蒙古国接壤，南隔河西走廊与祁连山相望，西与甘肃的武威、张掖、嘉峪关、玉门关、敦煌毗邻。

阿拉善境内有著名的巴丹吉林、腾格里和乌兰布和三大沙漠，面积占全盟的1/3还多。

在阿拉善这片广袤的区域内，人口稀疏，有当地人开玩笑地说，在阿拉善的戈壁、沙漠和荒漠草原上，电线杆子

沙漠景色

比人还多。

当人们驱车在穿越荒漠草原的公路上行驶时，会感觉这里的路不见尽头，在周遭这么宽广、无任何参照物的背景中，会感觉车子像蜗牛似的在爬行。

除了戈壁、沙漠，在阿拉善还有秀美的贺兰神韵、神秘的西夏传奇、古老的居延文化、悠远的丝绸文明，还有悲壮的东归英雄，所有这些，都构成了阿拉善的秘境元素。

阿拉善盛产大漠奇石，人们爱石、品石、赏石、藏石是出了名的，在巴彦浩特临街的商店里或一路途经的一些苏木街头，都可以看到有售卖奇石的柜台和摊位。在这方土地上，纯净的心灵与自然的造化相通，朴素的审美与大气的民风相融，形成了阿拉善独特的奇石文化。

来此旅行的游人虽是匆匆的过客，但是将这些曾经见证过阿拉善沧海桑田的秘境奇石拿在手中时，人们也似乎接触到了亿万年前阿拉善大地上的生命。

轻轻地抚摸着光滑绵润的石面，就犹如有一道甘洌的清泉从自己的心田流过。

事实上，在亿万年前，阿拉善曾是一片茫茫大海，但随着亚洲大陆的造山运动，阿拉善成为一片火山喷发的世界，那时，这片大地上烈焰腾腾、岩浆翻卷。

如今在这片土地上，唯有被大自然

遗留在这大漠中的旷世奇石在向人们诉说着阿拉善的过往。或许，阿拉善这片土地，在当年大海退去之后和未有火山之前，原是一片水草丰美、树木葱茏的碧野吧。

沙漠景色

沙漠湖海巴丹吉林

巴丹吉林沙漠是世界第四大沙漠，主要由剥蚀的低山丘陵和山间凹地相间组成，第四纪沉积物普遍覆盖了地表，其形态分为新月形复合沙丘、金字塔状沙丘和大沙山三种地貌。在这

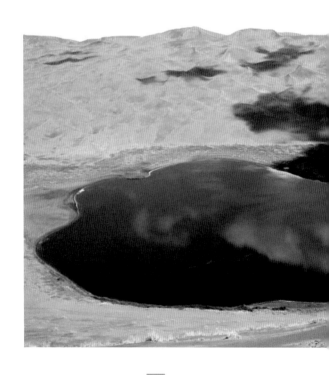

一片广袤的沙漠中，至今仍有地域尚无人类涉足。

"巴丹吉林"这个名字很有意思，它是蒙古语的音译，是由一个人名和一个数字组合成的。"巴丹"是一位蒙古族牧民，他是这里的原住民，"吉林"是数字"六十"，巴丹曾在这里先后发

沙漠里的湖

现了大小 60 个湖泊，最先发现的湖泊就是著名的"巴丹湖"，所以"巴丹吉林"之名由此而来。

　　奇峰、鸣沙、湖泊、神泉是巴丹吉林"四绝"，它们以高、陡、险著称于世。

　　高大的沙丘链和金字塔状沙丘似大山雄立，十分壮观。位于巴丹吉林沙漠腹地的必鲁图峰海拔 1600 多米，为世界最高沙峰。这里的沙山坡度大，爬上沙顶顺坡向下滑行时，能听到沙山发出的

飞机轰鸣般的声响。

巴丹吉林沙漠的鸣沙也非常出名，在鸣沙区里，众多沙丘都可随风而鸣，所以有"世界鸣沙王国"之称。当沙粒从那些高高低低的沙丘上滚落下来时，会发出声响，这些声音从远处传来，就像轰隆隆的雷声。

巴丹吉林沙漠中分布着的上百个大小湖泊，湖泊周围芦苇丛生、红柳茂盛，湖中碧波荡漾，水鸟嬉戏，一片"漠中

巴丹吉林沙漠

沙漠湖海巴丹吉林

江南"的景色。

旅游区建在沙漠的边缘，站在偌大的停车场远望，似乎感受不到沙漠的浩瀚。但是进入沙漠后，攀上一处高高的沙丘再望，会发现沙漠阔大得没有边际，这时一种如此广阔、如此震撼的感叹油然而生。巨大的沙峰一座连着一座，一座拥着一座，或腾跃起伏，或逶迤连绵，天地相接。

最令人感到不可思议的是这沙漠中的沙山，这里的有些沙山，几千年来竟没有移动过，堪称沙漠奇迹。见风就跑的沙子能堆积成高高的沙峰，而且一动不动，这要源于巴丹吉林沙漠地下丰富的水源。至于为什么这里有丰富的地下水，原因还尚未找到。但沙漠中的水分把高大的沙山牢牢固定住，让这里形成了世界沙漠中独一无二的景观。

仰望深邃、纯净、浩瀚的苍穹，看着巍然矗立的沙山以及在大漠上空盘旋的苍鹰，会让人感受到这大漠的雄浑博大与空旷苍凉。陡峭的沙山坡地上看不到绿色，只有走到近前，才能偶尔看到一两株细长柔韧的小草在风中摇曳。

《中国国家地理》曾描述巴丹吉林沙漠中的沙丘是上帝随手画的弧线，巴丹吉林的美从此闻名于世。当人们走进大漠的深处，远望那些新月形沙丘链，会发现这些弧线确实是美得动人心弦。特别是那沙山的坡面经过千万年风蚀沙走，形成了一波又一波的沙浪，如大海的波涛，涌动着柔美弯曲的线条。

沙与水

沙海苍茫腾格里

腾格里沙漠雄踞在内蒙古阿拉善高原的东南部，是我国第四大沙漠。"腾格里"是"天"的意思，形容这片沙漠"像天一样高远、辽阔"。

当人们开车从巴彦浩特出发，走通往银川的110国道，不久便会来到一个

十字路口，向东是通往贺兰山广宗寺的旅游公路，向西便是通往腾格里沙漠的公路。

实际上，在巴彦浩特周围是看不到沙漠的，巴彦浩特人多年来的辛勤劳动已经把这里变成了一片绿洲，路边有大片的向日葵农田，随着车子的不断前行，外边的景色渐渐地被荒漠草原所取代。

沙丘与湖泊

当车子驶下 110 国道，拐向去往月亮湖的沙漠公路时，景色便开始变得更加荒凉。路边出现生长着稀疏沙草的沙丘，一座连着一座，在远处的沙丘群中，有三五成群的骆驼出现，在路边的有些低洼的区域内，有成片的积水，随着车子不断向前行，渐渐地积水退去，骆驼也不见了踪影，草色也不见了，这时车子驶进了茫茫大漠之中。

在大漠深处也有一些绿色，只是它们生长得很稀疏、细小，从远处是看不到的，只有下车走近，才会发现一些纤细的沙草，它们在那里静静地随风摇曳。当人们挖到距沙丘表层30厘米时，会发现下面全是潮湿的沙子，这说明沙地下面蕴含着丰富的水分，所以这里才能生长着这些顽强的生命。它们星星点点地遍布于这沙海之中，远远地相互照应

沙丘

着，用纤弱的身躯汲取着地下的水分，年复一年、日复一日地，在此抗争着沙尘的侵袭，成了这万顷沙海中一个独特的景观。

在浩瀚的腾格里沙漠之中，还分布着大小400多个原生态湖泊。特别是在腾格里沙漠的中南部，湖泊呈现规则的南北走向，并平行排列着，中间间隔着3至5公里不等的流动沙丘带。而腾格里沙漠是世界上发现沙漠湖泊最多的地方。

大漠很静，偶尔能听到从远处传来

的骆驼呜呜咽咽的声音，悠长而旷远，这更增添了腾格里沙漠的深邃与神秘。

腾格里沙漠海拔高、沙峰高，素有"登上腾格里，离天三尺三"的说法。而腾格里沙漠也是流动速度最快、周边人口密度最大的沙漠。置身于这波涛起伏的大漠之中，举目远眺，那连绵至天际的沙丘闪烁着金灿灿的光芒，仿佛披着一层金色的锦缎。那一道道均匀而舒缓的波纹，就像水面上溅起的层层涟漪，低低的天幕，就罩在这一片金色的海浪之上。

展现在眼前的腾格里，是那样浩瀚苍凉、雄浑壮阔。

在沙漠里徒步的驴友

绿洲『天海』月亮湖

扫码查看
★ 同系列电子书
★ 内蒙古纪录片

　　月亮湖位于腾格里沙漠腹地，是一个完全处于原始状态的沙漠湖泊，由于其独特的地质构造，湖水中富含钾盐、锰盐、天然苏打及其他微量元素，特别是在湖周围长达一公里、宽约近百米的天然沙滩下，堆积着厚达 10 多米的纯黑沙泥，其质地远远超过了死海的黑泥，是天然的宝物。

冬天里的沙漠

从空中俯瞰月亮湖，它好似一幅中国地图；从湖的东岸看又好似弯弯的月亮，所以当地人将其称为"中国湖"和"月亮湖"。在蒙古语中，月亮湖被称为"腾格里达来"，"腾格里"是"天"的意思，"达来"是"海"的意思，"腾格里达来"即为"天海"。"中国湖""月亮湖"和"天海"，这些名字无一不牵动着人们的心。令人感到神奇的是，月亮湖竟一半为咸水湖，一半为淡水湖，它也是腾格里沙漠诸多湖泊中唯一有海岸线的原生态湖泊。

走上通往湖区的长长木栈道，人便迅速地被淹没在了漫过头顶的芦苇丛中。这样的景色实在令人无法想象——在这干旱少雨的大漠腹地，竟然还生长着如此茂盛的植物。这一片芦苇荡大得没有边际，长长的木栈道被两旁斜出的芦苇遮成了一条线。

走出芦苇丛，坐船驶入月亮湖，能看到碧澄的湖水下面摇曳着青绿的水草。偶尔还能见到结队而游的鱼在水草中穿行，成群的野鸭从芦苇丛中钻出，旁若无人地游荡在水面上，身后拖起长长的涟漪。

小船直达湖的对岸，湖岸的沙地上，有一排排用芦苇搭成的蘑菇状凉亭，凉亭的后面就是景区所建的观景台，从这木制的高台上可以俯视整个月亮湖。

在夏末初秋的时节，已经有些许凉意，月亮湖边芦苇的叶子已开始泛黄，

没有了成群结队的野鸭，只是偶尔会有三五只小麻雀在湖边沙滩的积水里蹦蹦跳跳，不时地鼓动着它们那褐色的翅膀，有时它们那小小的脑袋会猛然朝下，将尖尖的小嘴伸进水中，然后一个猛转飞升而去，飞向绿洲深处，不见了踪影。

湖边沙地等候游人骑乘的骆驼，一个个卧在沙地上，不知道嘴里在不停地嚼着什么，它们脖颈高昂着，双目微闭着，

月亮湖

绿洲"天海"月亮湖

一副悠然自得的样子。

　　远处高高的沙脊上，被风撩起的片片沙雾酷似雪山上的旗云，飘舞着。迎着阵阵的风沙走进大漠的深处，转身回望身后的月亮湖，会发现月亮湖上空好似有一道无形的屏障，将随风起舞的风沙挡在了湖区之外，又好像那部分空间对风沙有着极好的过滤，整个湖区上空的空气竟是那么清新。

　　如果在晚上，仰望夜空，人们会发现这里的星星是那样的稠密，亮的、暗的、大的、小的布满了整个夜空，平时看到

水鸟

的那条银河，在这里的夜空中竟是那么不显眼。夜色轻柔，薄薄的水汽似有若无；夜幕低沉，稠密的星星似乎触手可及；星光灿烂，能看到自己印在沙地上的绰绰身影。月亮湖像是洞开在沙地上的一扇神奇的门窗，倒映着美丽的星空。一时间，感觉那漫天的星星就踩在自己的脚下，有一种人在九霄云外的奇妙感受。再转身回望远处的沙丘顶上，在星空的映衬下，有黑点似的人影在移动，一个个的流星从他们身边拖着美丽的划痕而下，溅落在那波平如镜的月亮湖水面上，是那样的神奇、美丽。

秋日绚彩胡杨林

额济纳旗胡杨林是世界上仅存的三大胡杨林之一，也是当地的标志性景观。每年秋季，金黄的树叶吸引着众多游人前来观赏。

从阿拉善盟巴彦浩特镇驱车前往额济纳旗，车子差不多要在路上行驶一天的时间。大漠戈壁的远方仍然是大漠戈壁，一样的色调，一样的景致，单调得令人发狂。车子驶过八道桥，路边开始

枯而不朽的胡杨

秋日胡杨

出现高大的胡杨林和密实的红柳丛，绿荫遮路，弯曲的柏油路通往一片桃源般的秘境。

初秋时节，路边的胡杨林已经泛出绚烂的金色，红柳花早已开遍了这里的角角落落，它红得像一片燃烧的火焰，与金黄的胡杨林一起，将这里点缀得绚烂无比。

走进胡杨林的深处，偶见有一片积水，有水相伴的胡杨林，更显妩媚和秋天的神韵。蓝天白云、叶片虬枝倒映在

胡杨林

水中，玄幻无比。横过公路往北，就是胡杨村了，一条平坦的沙土路一直通向胡杨村中。到了胡杨节的时候，这里聚满了从四面八方赶来看胡杨林的游人，每株树旁都会挤满了人。

额济纳的秋天是美丽的，这样的美丽是因为有了胡杨，有了胡杨深处的人家。蓝天白云之下，大片大片的红柳如绚烂的红云衬托着金色的胡杨，在这胡杨林的深处，红、黄、蓝、白、绿，色彩纷呈，当地村民的房舍就被这五颜六色的光泽氤氲着。

这是一片难得的大漠绿洲，远离喧嚣的都市。秋天里，它绽出了一年之中最绚烂的色彩，田园房舍，弱水流沙，成为额济纳最美丽的地方。

胡杨林

大漠古城诉传奇

　　"额济纳"是西夏党项语，有人说它的意思是西夏国的古都黑城，有人说它的意思是额济纳河的另一个称谓"黑水"，在元代人们把它翻译成"亦集乃"，今天的"额济纳"就是"亦集乃"的变音。但是不管"额济纳"是指"城"还是指"水"，意思中应该都有"黑"的意思。

　　说起黑水，这是额济纳旗的一条生命之水，它发源于祁连山麓，由祁连山

居延文化遗址

积雪融水汇集成河，向北流进巴丹吉林沙漠，绵延至达来呼布时呈蛛网状，细细密密地润泽着这片土地。古时的黑水水量丰沛，流域内水草丰美，为巴丹吉林沙漠和大漠戈壁之间的狭长通道，地理位置十分重要。

古时著名的居延地区就处于这一带。说起居延，现在的人们也许对它已十分陌生，但自汉代至清代以来，居延一直都是一个极为有名的地方，统治者都曾在此设立城塞。

汉朝在此建立居延塞，设立居延都尉守卫黑水流域。当年，汉王朝与匈奴之间的战争连年不断，汉代那些征战疆场、戍边守国的军事将领如霍去病、李广率军追击匈奴时曾饮马居延泽，重挫匈奴的有生力量，使匈奴为此悲歌"失我祁连山，使我六畜不蕃息。失我焉支山，使我妇女无颜色"。至唐代，这里被突厥人占领。到了宋朝，这里被党项人控制，在此建起了黑水城，使得这里一度成为西夏重要的政治、经济和文化中心。

元代在这里设置亦集乃路，后来与明军在此展开过多次血战。当时，明朝的著名军事将领冯胜攻破了黑水城。元朝灭亡之后，曾担任过成吉思汗护卫军的土尔扈特人，被迫率部迁徙到了伏尔加河流域。至清朝乾隆时期，土尔扈特人克服重重险阻、不远千里回归故土，这便有了著名的"东归英雄"之说。

这里有一望无际的戈壁瀚海，有背

负着近千年历史的西夏古城，还有那金色的胡杨。曾几何时，一部《英雄》让早已被人们淡忘的古居延又声名鹊起。

在黑城往西的无尽大漠中，一座古城连着一座古城。大同城位于黑城西边，始建于汉代，隋唐时期有所增建。有史料记载，古城在隋唐时是"大同城镇"所在地，后被指定为唐代"同城"宁寇军治所。高耸的夯土墙有种威武不屈的气势，最让人

居延文化遗址

大漠古城诉传奇

琢磨不透的是那些布满城墙、镂空如射孔的小洞，感觉特别与众不同。

城池坐西朝东，有内外两道城墙。城内有一座方形城堡，城堡门朝南，城堡内有一座房舍的残迹。外城东南也有一些房舍的遗址。

大同城出土的文物不多，都是些箭镞、汉五铢钱和唐宋铜钱之类。据说，过去牧民常在这里圈马群套捉坐骑，所以大同城也叫"马圈"城。

绿城位于达来呼布镇东南方，是一座椭圆形的城址，设有内城和外城，面积约 12 万平方米，城址的东北角有类似瓮城的建筑，还有佛塔的残迹，整个遗址只有在向导的指点下，才能勉强分辨。

大同城遗址

但这里却是在额济纳发现西夏建筑最丰富的地区。方圆数十公里内，城池、民居、庙宇、佛塔、土堡、瓷窑、墓葬群、屯田区、军事防御设施等遗迹有 400 处之多，几乎都未被发掘。

在绿城的东、北两个方向，还能辨别出清晰的田垄和民居院落的格局，这是古代屯田区的遗址，由西南向东北还有一条宽 2 米的水渠贯穿整个遗址中心地区。

"绿城"的称谓是当地流传下来的，据说因为城外有一片规模很大的庙宇，都是绿色琉璃建筑，庙和城都因此得名。黑河改道后，黑城和绿城绝水而废，当年香火鼎盛的额济纳宗教中心也就成了戈壁里的传奇。

「弱水流沙」居延海

位于额济纳旗西北部戈壁滩上的居延海，是我国第二大内陆河黑河的尾闾湖，也曾经是我国西北地区最大的湖泊之一。在这片干旱荒凉的土地上，它浩渺的湖水，撑起了生命的希望。

历史上，每当春暖花开之际，祁连山上的积雪融化形成弱水，弱水一路向北纵贯巴丹吉林沙漠，最后注入居延海。

居延海

因此,居延海也就成了古弱水的归宿地。在《水经注》中,居延海有一个听起来很美的名字,叫作"弱水流沙"。据史料记载,匈奴人曾把居延海称为"天池",并作为圣地加以祭祀供奉。汉代,这里称为"居延泽",魏晋时又称为"西海",到唐代才有了"居延海"的叫法。居延海分东居延海和西居延海,人们早年所说的居延海主要是指西居延海,而现在所说的居延海则一般是指东居延海。来额济纳旗的游人被当地旅行社带去的地方大多数时候是东居延海。

实际上,历史上的居延海曾是水草丰美、驼羊成群的绿洲,那时的弱水四季长流,居延海湖面烟波浩渺。秦汉时,居延海有700多平方公里,它滋养着额济纳绿洲,也孕育出了古居延文明。唐代诗人王维曾路过此地,留下了"大漠孤烟直,长河落日圆"的千古名句。

只是进入20世纪中叶以来,由于自然变化及过度取水导致黑河上游来水量锐减等原因,居延海分成东、西两片。

居延海

20 世纪 60 年代初西居延海干涸，90 年代初东居延海干涸。进入 21 世纪，国家实行了黑河水量统一调度制度，关闭了沿河 60 多个引水口，下游水量增加，2003 年东居延海湖盆蓄起了稳定的水面。如今，又十几年过去了，居延海的生态环境越来越好，这里成了鸟兽虫鱼的乐园，它们或入水嬉戏，或凌空飞翔，自由自在地在这里生活。

暮色里的居延海别有一番风情，窄窄的湖面，水色略显混浊。回望天空，透过芦苇，一轮血红的落日被那火烧云簇拥着，就显在湖边不远处的沙丘上，渐渐暗下来的天幕上，一弯新月高悬。此时的居延海安静、美丽，人的心也会跟着平静下来，静静地站着，欣赏着眼前的美景。

居延海

重披绿装的浑善达克

　　浑善达克沙地主要分布在锡林郭勒盟和赤峰市，它是距首都北京最近的一块沙地，直线距离近200公里。

　　历史上的浑善达克曾享有"千里松林"和"松漠"的美称，直到清代，还有人赋诗以赞——"翠柏峰峰合，黄沙处处明"。正是这块沙地，从20世纪末

至 21 世纪初，生态环境逐渐恶化，制约着区域经济社会的可持续发展；也是这块沙地，让人们下定了"治沙止漠刻不容缓,绿色屏障势在必建"的信心和决心。为了这块沙地，多年来人们一茬接着一茬干,牢固树立"绿水青山就是金山银山"的发展理念，像保护自己的眼睛一样保护生态环境，让浑善达克沙地重新披上绿装。

浑善达克沙地

如今，从正蓝旗境内来说，浑善达克沙地腹地已经有了新称号——"塞外江南""花园沙漠"；从多伦县境内来看，昔日京津风沙源已经变成了"天然避暑地、北京后花园"。

出锡林浩特向南行，不久之后就进入了浑善达克沙地。进入沙地后能看到错落起伏的沙丘被茂盛的沙柳、沙蒿等沙地灌木密实地覆盖着，有明沙的地方

被网格状的人工沙障牢牢锁住，曾经的沙魔已经被人类驯化。

目前，浑善达克沙地已经成为中国著名的有水沙漠，在沙地中分布着众多的小湖、水泡子和沙泉，泉水从沙地中冒出，汇集后流入小河。这些小河大部分流进了高格斯台河，也有的只流进水泡子里，还有的只是时令性河流。

在沙地和草原上拥有众多的河流和

浑善达克沙地

湖泊，是这里的一大自然景观，现在的浑善达克沙地有大小河流 20 多条，由两大水系组成。北部属呼日查干诺尔水系，主要由流经浑善达克沙地的高格斯台河、芒克敖里木河等内流河组成；南部属滦河水系，主要由发源于南部低山丘陵区的上都河、慧温河等外流河组成。

这里最大的淡水湖是扎格斯台诺尔，最大的咸水湖是浩勒吐音诺尔。在春季和夏季，主要河流和湖泊周围栖息着许多珍贵的鸟类。

浑善达克沙地除了有众多的河流、湖泊可供游人游玩外，浑善达克沙地内部还有多变的地形，沙丘、泥地，这些是越野旅行爱好者的理想场所，在这里已经成功举办过多次国家级的穿越挑战赛。

当人们穿梭在一簇簇只有沙地才能生长的柳条丛中时，可以看到湿地草原，每当夏季，这里除了金莲花外，还生长着黄花、韭菜花等各色野生花草。当人们肆意奔驰在凹凸起伏的浩瀚沙地上时，除了可以感受越野的刺激之外，还可以停下来，看看沙地周围生长的各种植物，或者找到一个沙坡，来一场滑沙，这里的坡道纯自然形成，人们可以与大自然来一次亲密接触。如果累了，还可以躺在半坡上晒个沙山浴，静静地躺在蓝天下。

在这里，黄沙、碧水、青草、牛羊、蓝天、白云编织出一幅美丽的画卷，让人忘记一切烦恼，静静地享受大自然的美与大自然的纯净。

绿色固沙科尔沁

扫码查看
★ 同系列电子书
★ 内蒙古纪录片

美丽富饶的科尔沁草原,绵延千里、花香四溢、林茂粮丰、景色宜人。奔跑的马群、碧蓝的天空、成群的牛羊是这草原上最美的点缀。

这幅如诗如画的美景,是科尔沁人民半个多世纪以来,坚持不懈地用自己的勤劳和智慧绘就的精彩画卷。

历史上的科尔沁草原曾是河川众多、水草丰茂之地。直到 20 世纪,受

历史、人为、自然、气候等因素影响，生态环境遭到严重破坏，地下水位持续下降，草原退化、沙化，沙尘暴肆虐，昔日连绵不绝的苍茫草原，有一部分逐渐退变为连绵起伏的茫茫沙海。

科尔沁人民饱受风沙之苦，民间对当地一年到头刮不完的风沙有一句形象的概括："一年刮两次，一次刮半年"。

"大的做梁，小的顶墙，牛犊上房"，是二十世纪七八十年代通辽风沙危害的形象描述，"一场大风，一夜工夫，沙

科尔沁沙地

子就堆上了房顶，小牛犊顺着沙丘就上了房"。

风沙无情地逼进，科尔沁人民看着曾经的滔滔河水变成了干涸的河床，曾经郁郁葱葱的草原变成了贫瘠的沙地，内心十分悲痛，也激起了他们与风沙抗争的决心。

面对恶劣的自然条件、脆弱的生态

环境、贫穷落后的经济形势，各族人民在党和政府的领导下，义无反顾地向沙宣战，掀起了防沙治沙保卫家园的"大会战"。

几十年来，当地人坚持造林绿化、防沙治沙、建设生态，终于让昔日的漫漫黄沙泛起了片片绿洲。

科尔沁沙地，在全国四大沙地中率

科尔沁沙地

先实现了治理速度大于沙化速度的良性逆转，取得了"人进沙退"的历史性转变。

科尔沁沙地变绿了，变美了，人与自然和谐共处。野生动植物越来越多，以往寸草不生的沙地已开发种植水稻、高效药材、西瓜等，沙漠旅游红红火火，以沙子为原料加工的彩色灰砂砖已成为时尚的建筑材料，利用沙柳编织的工艺品远销国内外，在沙地上还建起了高楼大厦，人们点沙成金，变沙害为沙利。

过去受风沙侵害严重的库伦旗和奈曼旗，现如今都已经成为沙漠旅游的热点地区。沙漠成为当地开展沙漠运动、户外体验等沙漠旅游项目的独特资源。

库伦旗的银沙湾旅游景区便是人与沙和谐相处的典范。塔敏查干沙漠是东北地区最大的沙漠带，素有"八百里瀚海"之称。库伦旗当地人依托这一资源，实施了银沙湾旅游景区开发项目，形成了当地特有的沙漠、水域、草原等自然生态相结合的生态景区。

科尔沁左翼后旗连片的沙地草原湿

地水域已形成鸟类栖息和春秋时节过境候鸟迁徙带。现在，丹顶鹤、白鹳、天鹅等40余种2万多只候鸟相聚在此，取食歇息。

从"沙进人退"到"人沙和谐"，千里草原恢复了它的底色，这里的人民也得以安居乐业。

后　记

在中国版图上，内蒙古自治区如厚实的脊梁挺立在北方。这里有壮丽神奇的自然风景、独具魅力的人文景观、特色浓郁的民俗风情、丰富多元的旅游文化；这里的人民团结一心，在中国共产党的正确领导下，沿着中国特色社会主义道路不断前进，经济社会发展实现历史性跨越。

内蒙古人民出版社组织策划的这套全方位展示内蒙古风采的《"亮丽内蒙古"文化普及口袋书》，在内蒙古自治区党委宣传部和内蒙古出版集团的精心指导和大力支持下，成功立项并入选"亮丽内蒙古"重点图书出版工程。能够参与丛书的编写，我深感荣幸，感谢内蒙古人民出版社给我提供了这样的机会。

由于时间仓促,加之笔者水平有限,书稿不尽完美,在编校出版过程中,内蒙古人民出版社民族历史文化读物出版中心的编辑老师付出很多心血,她们认真负责、精益求精,使丛书在短时间内保质保量出版,在此,对各位编辑老师表示深深的谢意。

希望这套口袋书可以向读者展示一个真实生动、色彩斑斓的内蒙古,让更多的人了解内蒙古、认识内蒙古、爱上内蒙古。

编者
2021 年 9 月于呼和浩特市

后记